minedition

verlegt in der Michael Neugebauer Edition, Bargteheide

Gesetzt wurde in der Silentium Pro Roman von Jovica Veljovic

Koproduktion mit Michael Neugebauer Publishing Ltd. Hongkong

ISBN 978-3-86566- 141-8

Bibliografische Information der Deutschen Bibliothek

Die Deutsche Bibliothek verzeichnet diese Publikation in der

Deutschen Nationalbibliografie; detaillierte bibliografische Daten sind

im Internet über http://dnb.ddb.de abrufbar.

Mehr Information über unsere Bücher finden Sie unter: www.minedition.com

Die Weihnachts- Geschichte

erzählt von Géraldine Elschner

nach dem Lukas-und Matthäusevangelium

mit Bildern von Giotto

minedition

An einem Frühlingsmorgen
erklang eine Stimme
in Marias Haus.

„Fürchte dich nicht",
sprach der Engel Gabriel.
„Du hast Gnade vor Gott gefunden.
Siehe, du wirst einen Sohn gebären,
und du sollst ihm den Namen Jesus geben.
Er wird Sohn Gottes genannt werden."

Erstaunt kniete Maria nieder.
„Es soll so geschehen, wie du gesagt hast."

Ein Kind…
Sobald sie von ihm wusste,
fing sie an, es zu lieben.
Von ganzem Herzen.
Ohne Wenn und Aber.

Wenig später machte sich Maria
auf den Weg in die Berge,
um Elisabeth zu besuchen.
Ihre Cousine war schon alt,
aber auch sie erwartete einen Sohn.
Als Maria sie begrüßte,
spürte Elisabeth, wie sich das Kind
in ihrem Leibe bewegte.

Ihr Kind sollte Johannes heißen,
Johannes der Täufer.

Nach einiger Zeit kehrte Maria
wieder heim.
Dort, in ihrem Haus in Nazareth,
hätte das lange Warten schön und ruhig
sein können, neben Josef, den sie zum
Mann genommen hatte.

Aber während das Kind in ihr gedieh,
ging ein Gebot von Kaiser Augustus aus:
Jeder Bewohner seines Landes sollte sich
in die Stadt begeben, wo er geboren
wurde, um dort in eine Liste eingetragen
zu werden.
Als Sohn des Hauses Davids musste Josef
nach Bethlehem in das jüdische Land,
wo er herkam.
So machte er sich auf den Weg – und mit
ihm Maria.

Lang war er, dieser Weg,
durch den eisigen Wind des Winters.
Der kleine Esel, der Maria trug,
kam nur mühsam voran,
und unter ihrem Mantel,
schützte die junge Mutter
so gut sie konnte das Kind,
das sie in sich trug.
Bald sollte es auf die Welt kommen.

Als sie endlich in Bethlehem ankamen,
war die Stadt überfüllt von Reisenden,
die aus demselben Grund wie sie
hierher gekommen waren.

Kein Platz in den Herbergen.
Kein Dach. Kein Bett für Maria.

In einem alten Stall musste sie sich
für die Nacht auf Stroh betten.
Und dort gebar sie ihren ersten Sohn.

Draußen auf den Feldern
bewachten Hirten ihre Herde
in der Kälte der Nacht.
Während sie sich ausruhten,
wurde der Himmel plötzlich strahlend hell.

Die Männer erschraken.
„Fürchtet euch nicht", sagte ein Engel.
„Ich verkündige euch große Freude:
Euch ist heute der Heiland geboren,
Friede auf Erden !
Ihr werdet das Kind
in Windeln gewickelt finden
und in einer Krippe liegend."

„Ein Kind?
Der Heiland?
Hier in der Nähe, in einem Stall?"

Neugierig eilten die Männer
unter dem sternklaren Himmel
nach Bethlehem, das Neugeborene
zu suchen.
Und fanden es in einer Krippe,
zwischen Ochs und Esel, die es wärmten.
In ihren Körben brachten sie
Felle, Wolle und Milch.

Ruhig legten sich die Schafe hin.

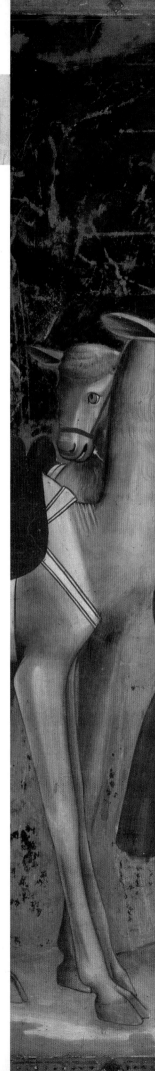

Weit, sehr weit weg von
Bethlehem, hatten Weise aus dem
Morgenland einen fremden Stern
am Firmament gesehen.

Und sie waren ihm gefolgt,
durch Berg und Tal,
durch Wald und Wüste.
Der Stern führte sie zu dem Stall,
wo sie das Kind mit seiner Mutter
fanden.
Da fielen sie nieder und schenkten
ihm ihre Schätze: Gold,
Weihrauch
und Myrrhe.

Maria sah und hörte zu.
All diese Bilder würde sie nie vergessen.
Bald, dachte sie, würden sie heimkehren.
Bald würden sie ihr vertrautes Haus
wiederfinden, ihr Dorf, ihre Familie.

Als die Weisen aus dem Morgenland
gegangen waren, hatte Josef jedoch einen
Traum...
„Steh auf!", sprach ein Engel.
„Nimm das Kind und seine Mutter mit dir
und flieh nach Ägypten,
denn Herodes hat vor, das Kind zu suchen,
um es zu töten."

Herodes!
König Herodes.
Auch er hatte von der Geburt
des neuen Königs gehört.
Ein König des Friedens.
Wut und Eifersucht erfüllten sein Herz.
Nur er sollte die Krone tragen!
So schickte er seine Soldaten aus,
alle Neugeborenen zu suchen.

Sein Zorn war grenzenlos.
Marias Kind war in Gefahr.
Sie mussten fliehen!

Noch in derselben Nacht stand Josef auf.
Er war entschlossen, Mutter und Kind
in Sicherheit zu bringen.

Maria seufzte.
Er würde lang sein, dieser Weg.

Wieder führte sie Josef.
Und wieder trug sie der kleine Esel
auf seinem Rücken durch Gras und Stein,
treu und liebevoll.
Dieses Mal aber trug Maria ihren Sohn
in ihren Armen.
Dort war ihm warm.
Dort hatte er Milch.
Dort lag er geborgen,
vor der ganzen Welt geschützt.
Immer würde sie für ihn da sein.

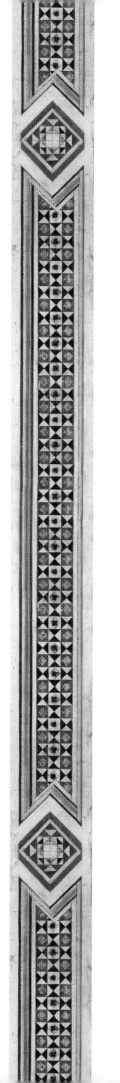

*I*mmer.

Bis zum letzten Tag.

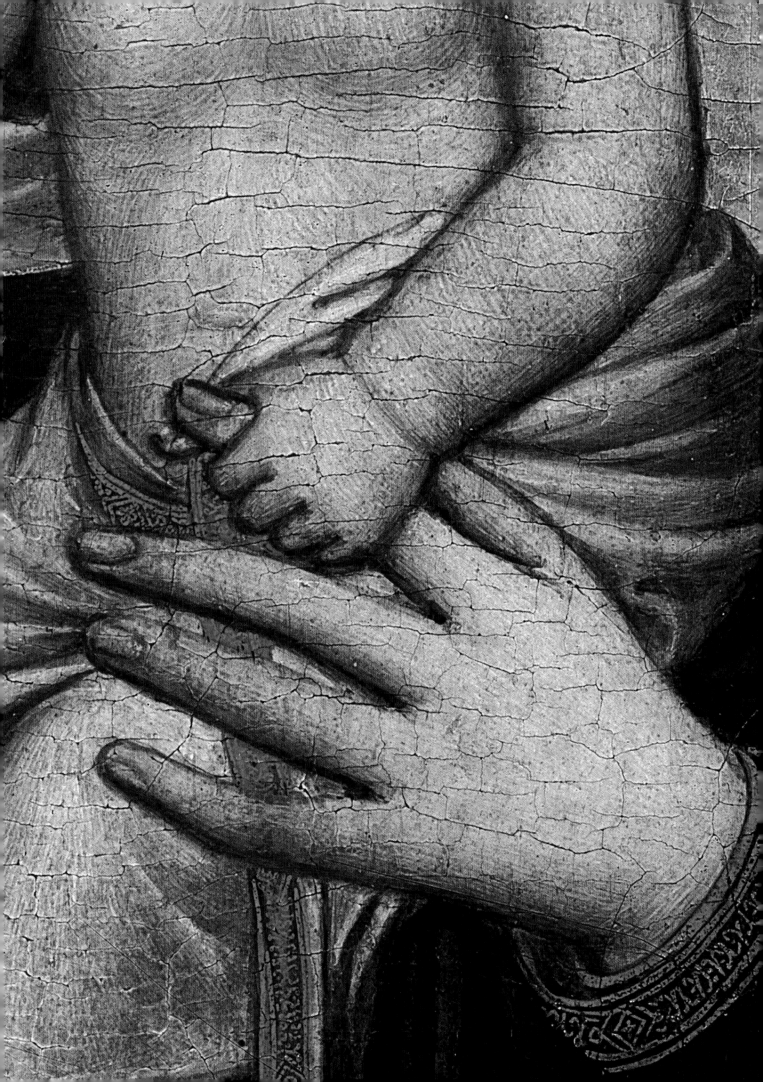